La Casa editrice **Lupi Editore**
di Jacopo Lupi, ed ha come obi
visibilità ai giovani autori e
L'obiettivo è quello di dar
indimenticabili per i lettori.

Seguici su Facebook

E su Instagram

Hai un libro nel cassetto? Non fargli prendere polvere!

Contattaci e inviaci il tuo capolavoro, lo valorizzeremo al meglio!

Mail

lupijacopo@gmail.com

Whatsapp

3452294411

Titolo Originale dell'opera: NATA PER AMORE, SOLO PER AMORE

Autore: SILVIA COSSAVELLA

Collana: STORIE

Allestimento Interno: LUPIEDITORE

Copertina: LUPIEDITORE

Un libro è in grado di cambiare il mondo in poche pagine, perché è in grado di cambiare le persone in poche pagine.

Leggi, impara, cresci e migliora la tua vita e il tuo mondo con un libro.

Ma **i libri hanno anche bisogno dei lettori**, senza di loro il libro non esiste.

Aiuta i libri a cambiare il mondo, aiuta chi li scrive a far arrivare la sua voce, aiuta chi li pubblica a far si che questa magia continui.

Se il libro che hai tra le mani ti piacerà regalaci una recensione a 5 stelle, a te costa poco ma per chi scrive e pubblica un libro vuol dire molto. Consiglialo ai tuoi amici, regalalo e fallo conoscere, **donerai alle persone le parole che in quel momento vogliono sentire.**

Se il libro non ti dovesse piacere, non lasciare recensioni negative ma scrivi all'editore cosa non ti è piaciuto e perché, ci aiuterai a migliorare, per cercare di darti sempre il meglio, e inoltre aiuterai l'autore a crescere.

Il mondo cambia grazie a piccoli gesti.

Diventa parte fondamentale insieme a noi di questo grande cambiamento!

Jacopo Lupi Editore

NATA PER AMORE, SOLO PER AMORE

Silvia Cossavella

Se desideri un figlio, o lo hai avuto con una donazione di embrioni, questa storia vera ti aiuta a capire meglio l'esperienza e a raccontare al tuo bambino la sua vita a partire delle origini.

Per tutti coloro, i quali desiderano addentrarsi in questo passaggio di vita e per i bambini da due a sette anni di età.

... a mia figlia Ariél,
che io amo chiamare Ariél del Sol,
la luce della mia vita,
e a tuttu i bambini del mondo
che sono luci dell'Universo

Presentazione

Questo libro cui io tengo moltissimo, vorrei che fosse un aiuto per tutti i single e coloro, i quali vorrebbero addentrarsi in questo percorso di vita o hanno adottato un embrione.
Che cosa spinge ad adottare?
Spesso le persone che incontravo mi domandavano del padre di mia figlia, non c'era... e quando raccontavo dell'embrio-donazione, formulavano delle frasi che alludevano alla sfortuna di non aver avuto un figlio in modo più naturale o ancora a una forma più esasperata di egoismo.
Io non ho mai pensato a niente del genere, non per leggerezza, perché se avessi voluto un padre biologico, lo avrei trovato, non ero di aspetto ripugnante e penso nemmeno con un carattere difficile, come spesso si sente definire una persona che ha una modalità di relazione difficoltosa e problematica. Semplicemente desideravo che mio figlio nascesse per amore.
Non nascondo di avere desiderato un bambino dal mio compagno di un tempo, ma le diversità di personalità non lo avevano permesso, litigavamo molto, non eravamo per nulla compatibili e, penso con il senno di poi che in quel frangente, la nascita di un bimbo sarebbe stata veramente per egoismo, il mio orologio biologico, mi stava avvisando, a trentasei anni il tempo stava per scadere.
Un giorno trovai dentro la buca delle lettere, una copia pubblicitaria di una rivista scientifica molto rinomata, parlava delle adozioni di embrioni, all'epoca, anche se sono passati pochissimi anni, non era ancora in auge il termine embrio-adozione.
Iniziai a cercare mediante internet i "Centri di riproduzione assistita" e trovai quello in Barcellona.

Presi contatto con la segreteria per avere informazioni in merito e, dopo qualche giorno mediante fax mi inviarono tutta la documentazione necessaria per comprendere al meglio.
Ormai avevo deciso, sarei andata al centro di riproduzione, in quanto all'egoismo di cui ho scritto precedentemente, mi sono detta che chi sceglie di diventare madre o padre, è perché vuole "qualcosa" che manca e, quando un individuo sente di volere è perché inconsciamente ed egoisticamente ha la necessità di possedere, quindi non era poi così diverso dal mio essere egoista.
Partii con i miei genitori per il centro di Barcellona, parlai con gli specialisti del caso, sostenni un colloquio psicologico, per testare l'idoneità al ruolo di madre, in seguito mi sottoposi a una visita ginecologica ambulatoriale e ritornai in Italia dopo qualche settimana, il tempo di preparare ormonalmente il mio organismo a ricevere la vita e ripartii per l'impianto. Era qualche giorno prima di Natale, esattamente il venti dicembre, poco prima del decollo, telefonai al ginecologo per lo scongelamento embrionale, gli embrioni sono congelati sotto azoto a una temperatura di meno centosettantatre gradi, ed è possibile scongelarli solo gradualmente, altrimenti morirebbero tutti.
Arrivai al centro emozionatissima, ricordo che in ambulatorio mi dissero scongelati quattro, sopravvissuti due, poi mi fecero sdraiare sul lettino ospedaliero ed iniziò il trasferimento che avvenne al buio con una lucina speciale, favorevole alla vita di mia figlia. Pensai: "Sono una mamma". Ero felice, avevo in grembo due piccoli, non avevo sofferto per l'impianto, era avvenuto quasi come una visita di routine.
Trascorsi pochi giorni, mi recai presso l'ospedale di competenza della mia città per il prelievo ematico, serve per sapere se una donna è in stato interessante e, mentre,

cadevano i fiocchi di neve dal cielo, lessi il responso di gravidanza in corso, non credevo ai miei occhi e chiesi a un volontario della struttura ospedaliera la conferma.
Ero così felice, ma così felice che ricordo ancora il rumore dei miei passi sul marciapiede e, quei fiocchi che lievemente volteggiavano e sembrava danzassero.
Il cuore ballava nel petto, mentre continuavo a ringraziare il Cielo per avermi dato questa opportunità nella vita.
Trascorse il tempo, la mia non era una gravidanza facile, ebbi due minacce d'aborto, ma riposando a letto con una cura ormonale, la mia bambina crebbe, e il quattordici settembre dell'anno duemilaotto, alle ore sette e ventidue in un mattino soleggiato, nacque.
Ricorderò per sempre quel meraviglioso momento, finalmente potei vedere la mia creatura, un frugolino rosa scuro con tanti capelli neri che, urlava a squarciagola.
Era Ariél del sol, come io amo chiamarla, la bimba della luce.
Successivamente, una moltitudine di volte, mi chiesi: "Quando e come dico alla mia bambina come ha avuto origine e com'è evoluta la sua esistenza sino alla nascita? Quali sono le parole giuste? Capirà che cosa le sto dicendo? Per l'emozione potrei sbagliare a usare le frasi nel raccontare e, in questo caso apportare confusione in ambito della sfera affettiva che come tutti sappiamo condiziona favorevolmente o sfavorevolmente l'adulto", dopo tante riflessioni e ricerche in librerie italiane e spagnole è nata questa idea del libro illustrato, non trovavo nemmeno uno scritto che trattasse, quando, come e, dire tutta la verità… in breve, una storia vera che parlasse di questa esperienza.
Tengo a precisare che l'adozione di embrioni per me è un inno alla vita, corrisponde in molte sue sfaccettature all'amore incondizionato, nonostante quella percentuale di

egoismo che di vita in vita si annida sempre nel cuore degli umani. Un'adozione di embrioni è salvare la vita dalla distruzione (non ci sono contenitori in quantità sufficienti per mantenere in vita per molti anni, tutte le cellule uovo fecondate) e, l'amore non guarda se ci sono due genitori o, un genitore, l'amore è amore, non ha numeri, né percentuali, ma crede nell'essenza del bene, nella salvaguardia della vita stessa.

C’era una volta una mamma che sognava un bebè, lo pensava con immenso amore e desiderava che venisse al mondo solo per amore.

Questa mamma come tutte le mamme del modo aveva un nome, si chiamava Silvia e, per dar vita al sogno di avere un bebè si recò con l'aereo in un posto molto speciale, un po' come quello che si vede a volte in tv, mentre si guardano i cartoni animati e…..

brrrrrrrrrr… viaaaaaaaa… verso il cielo azzurrissimo e verso il sole con la sua splendida luce.

Dopo aver volato tra le nuvole che sembravano gigantesche coppette di panna montata, la mamma Silvia arrivò in quel luogo speciale che aveva un nome un po' difficile da ricordare, centro di riproduzione assistita, era un po' intimorita, come quando voi bambini avete un po' paura di fare qualcosa di nuovo, ma per fortuna non era sola, con lei c'erano due nonni molto sorridenti. Il suo papà e la sua mamma e, il viaggio in aereo era stato davvero meraviglioso, un po' come quando si va in vacanza al mare e, si gioca con: sabbia, palette, formine, biglie e si fanno tanti bagni tra le onde...

CENTRO·DI·RIPRODUZIONE·ASSISTITA

Mamma Silvia al centro di riproduzione assistita conobbe un grande medico, il dottor Jordi, era alto con i capelli un po' lunghi e due occhi scuri, assomigliava un po' ai supereroi e aveva una potente moto che usava per spostarsi in città.
Il dottor Jordi disse a Silvia: ''Lei signora può diventare una vera mamma se lo vuole veramente tanto, ci pensi io sono qui. Se lei desidera esaudire questo suo desiderio, ritorni con gli esami del sangue, faremo una visita e parleremo ancora".
Gli esami del sangue fanno sempre un po' paura a dire la verità, ma Silvia si fece forza, lei voleva così tanto un bambino… Pensò che tanto i prelievi li facevano anche i bimbi, per cui con un po' di coraggio anche lei avrebbe fatto il suo esame.

Come Silvia avrebbe fatto a diventare mamma? Con due cellule fecondate, ma che parole difficili, cosa sono le cellule fecondate? Presto detto e, presto spiegato...sono degli ovini con la vita molto piccoli, più piccoli di quelli degli uccellini e, sono tutti attaccati come facciamo noi quando ci attacchiamo alla mamma o al papà per coccolarci.

Questi ovini diventeranno con il passare dei giorni dei bambini. Ela vita? Cos'è la vita?

Vi dico un segreto, è la cosa più bella che esista anche se a volte noi non riusciamo a capirlo, un ovino-bambina eri tu e l'altro piccolo come te...ma ora racconto dell'altro...

Silvia era felicissima, sarebbe diventata mamma, così decise di tornare al centro di riproduzione assistita...

E si, sarebbe diventata mamma per amore, perché lei ha sempre pensato ad un bambino con amore e, l'amore è l'unica vera magia, ricordate bambini grandi e piccini, la più grande che esista sul pianeta Terra, quella che fa credere nella riuscita delle cose più difficili e la realizza, quella che cambia il male in bene come quando si fa un brutto sogno e la mamma o il papà con amore ci prendono tra le braccia e tutto passa, resta solo la felicità di quell'abbraccio.

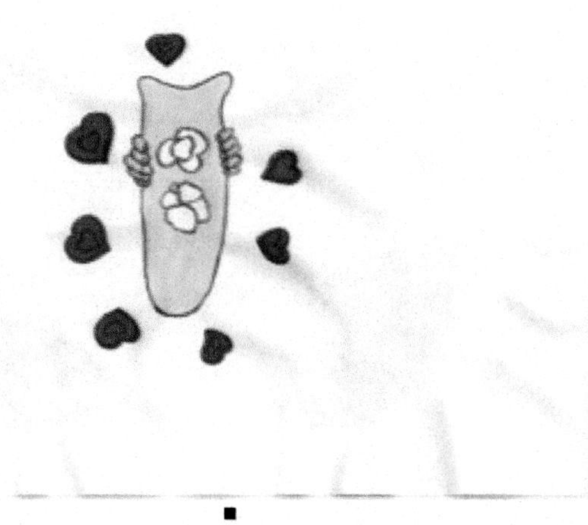

Ma come nascono i bambini?

I bimbi nascono in diversi modi, uno è questo: un dottore compie una sorta di incantesimo con una specie di bacchetta magica, fa incontrare in un bicchiere molto speciale l'ovino di una donna con il pesciolino di un uomo e, per incanto si ha la vita di una bambina o un bambino.

Non è un incantesimo stupendo?
La bambina o il bimbo con il passare dei giorni diviene a poco a poco sempre più grande.

PRIMA
DOPO

E ora vi dico che la signora Silvia ritornò
al centro di riproduzione assistita,
viaaaaa… un'altra volta con l'aereo,
verso il cielo azzurro ed il sole
splendente….Brrrrrrr verso Ariél,
(questo è il nome delle bimba che ebbe
in dono), il grande amore della sua vita.

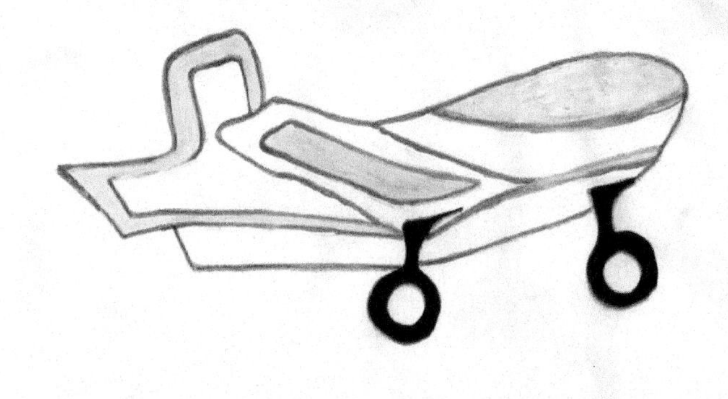

Al centro di riproduzione assistita, il dottor Jordi, con un tubicino che si chiama sondino, non Aladino, simile ad una cannuccia trasparente di quelle che si usano per bere i succhi di frutta e le bibite, ma più lunga, mise Ariél piccolissima, più piccola di un granello di sabbia di mare e l'altro piccolo nella pancia della signora Silvia, la quale era felicissima aveva due creaturine nella sua panciotta…

Mamma Silvia, provava una gioia immensa, aveva in grembo due piccolini desiderati con tanto amore, erano tanto piccoli, come potete vedere, ma per lei di grandissimo valore come lo sono un papà e una mamma, la “cosa” più bella del mondo.

Trascorsero pochi giorni ed un piccolino andò in cielo, forse divenne una stellina o una scintilla di luce meravigliosa e, l'altro, diventò sempre più grande nella pancia della mamma. Mammina Silvia dopo nove mesi aveva una panciona grande come un cuscino e dentro c'era Ariél, la quale, mangiava, beveva, dormiva e giocava serenamente.

Ma cosa mangiava e beveva Ariél? Tutto cosa mangiava e beveva la mamma, con una specie di cordoncino che si chiama cordone ombelicale la piccola Arielina era collegata a lei, così la sua mammina le passava tutto il bere e tutto il mangiare che serviva per crescere. E dopo cosa successe?

Finalmente e dico finalmente, perché Silvia aveva tanta voglia di vedere la sua bambina, Ariél nacque, era una bella giornata di metà settembre, c'era il sole, un dottore dell'ospedale della città in cui viveva la signora Silvia, fece nascere quella meravigliosa creatura tanto desiderata e amata. La sua mamma quando la vide pensò che fosse la "cosa" più bella del mondo e son certa la ricorderà per l'eternità, un frugolino dai capelli scuri che urlava a squarciagola…

Finalmente la bimba di mamma Silvia era lì vicina, anzi vicinissima, una sorta di miracolo, poi anche i nonni la conobbero e ora tutti insieme camminano felici e contenti nonostante qualche intoppo della vita per le strade dell'esistenza… Ariél è diventata grande ora ha dieci anni e dice che studierà, ma non sa ancora bene che "cosa".

Il libro è una breve storia illustrata per chi è single e desidera un figlio o lo ha avuto con una donazione di embrioni o ancora, semplicemente per chi ha piacere di addentrarsi in questo passaggio di vita. E' una storia vera, scritta per mia figlia e per tutte le persone che vorranno leggerla, ma credo, possa essere anche un valido aiuto per capire meglio il mondo dell'adozione di embrioni.

Biografia

Silvia Cossavella
nasce a Biella nel 1970,
ha da sempre un sogno nel cassetto,
insegnare ai bambini della scuola per l'infanzia.
Svolge diversi lavori saltuari per mantenersi agli studi e, molte supplenze, alcune anche solo di un giorno, in scuole difficoltose da raggiungere per poter acquisire il punteggio necessario per progredire nelle graduatorie del Ministero dell'Istruzione, dell'Università e della Ricerca.
Consegue due abilitazioni per l'Insegnamento nella Scuola dell'Infanzia, una presso l'Università Amedeo Avogadro di Vercelli e l'altra iscrivendosi all'Università degli Studi di Torino. Questi titoli di studio, associati al punteggio acquisito mediante le supplenze, le permettono di insegnare a tempo indeterminato presso la Scuola dell'Infanzia dell'I. C. di Mongrando sito nella provincia di residenza, realizzando finalmente il suo sogno.

Se il libro TI E' PIACIUTO regalaci una recensione a 5 stelle, a te costa poco ma per chi scrive e pubblica un libro vuol dire molto. Consiglialo ai tuoi amici, regalalo e fallo conoscere, **donerai alle persone le parole che in quel momento vogliono sentire.**

Se il libro non ti è piaciuto, non lasciare recensioni negative ma scrivi all'editore cosa non ti è piaciuto e perché, ci aiuterai a migliorare, per cercare di darti sempre il meglio, e inoltre aiuterai l'autore a crescere.

Il mondo cambia grazie a piccoli gesti.

Diventa parte fondamentale insieme a noi di questo grande cambiamento!

Jacopo Lupi Editore

Mail

lupijacopo@gmail.com

Whatsapp

3452294411

Printed in Great Britain
by Amazon